Je sais reconnaître

les transports

Zuzana VORLÍČKOVÁ

Gründ

On peut

se déplacer...

à pied...

ou à vélo...

à moto...

ou en camion...

en train...

ou en métro...

en tramway...

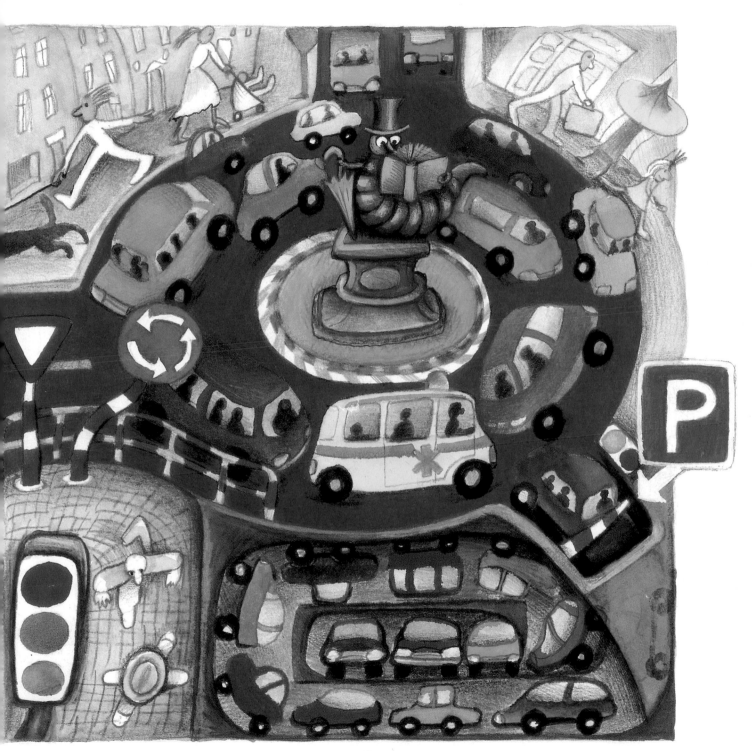

ou en voiture...

en tracteur...

ou à cheval...

en canoë...

ou en péniche...

à la nage...

ou en sous-marin...

en montgolfière...

ou en avion...

en navette spatiale ou...

en parachute !

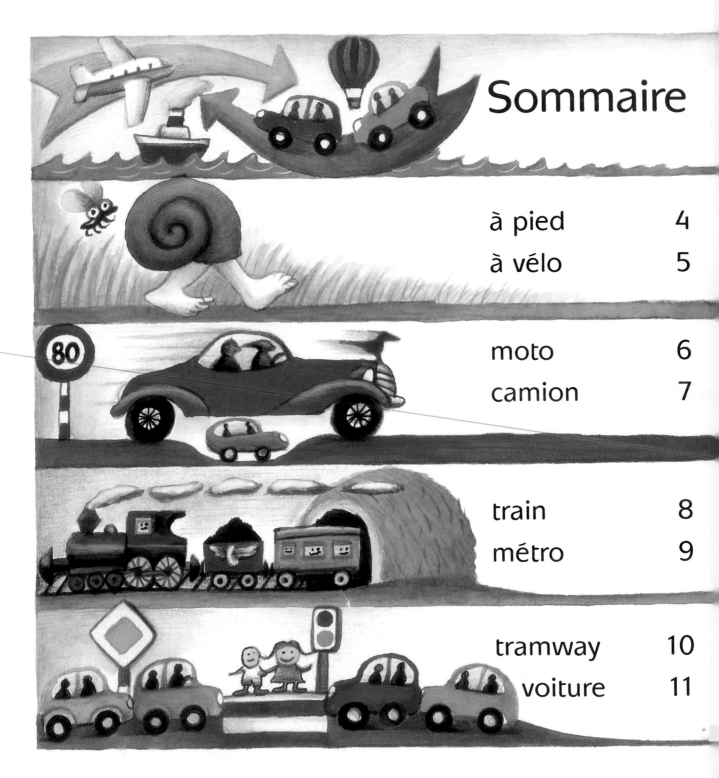

Sommaire

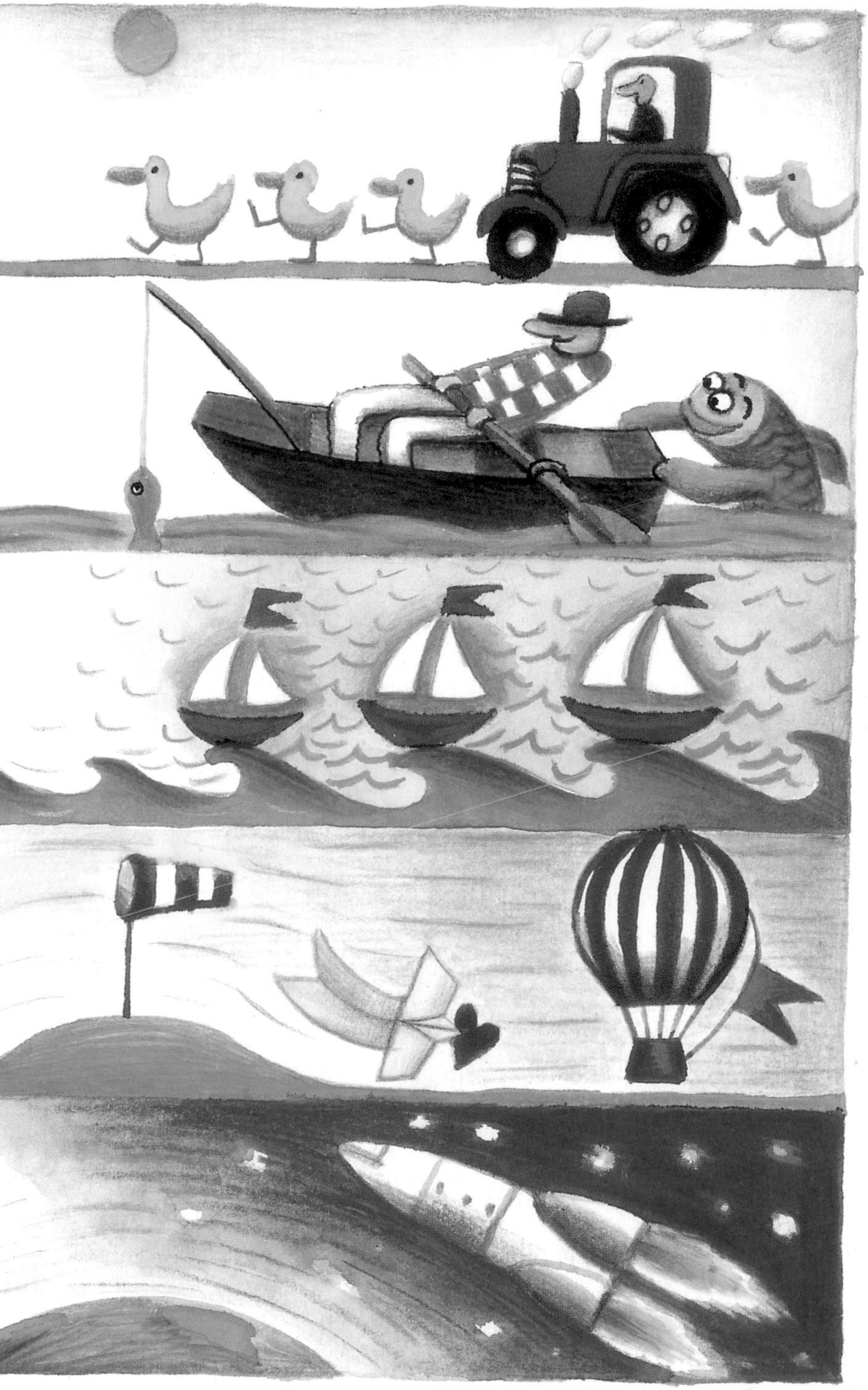

Texte original : Zuzana Vorlíčková

Adaptation française et secrétariat d'édition :

Christophe Tranchant

Première édition française 2000 par Éditions Gründ, Paris

© 2000 Éditions Gründ pour l'édition française

ISBN : 2-7000-3663-8

Dépôt légal : août 2000

Édition originale 2000 par Brio, s.r.o., Prague, sous le titre

Moje první knížka o dopravě

© 2000 nakladatelství Brio, s.r.o., Prague

Imprimé en République tchèque

texte composé en Mixage MedRo1

Loi n° 49-956 du 16 juillet 1949 sur les publications

destinées à la jeunesse